귀엽다는말 들은 적 없어!!

08

Nakaba Harufuji

CONTENTS

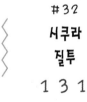

등장인물

카와하라 마도카
귀여운 연하남이 이상형인 여고생. 집이 식당을 운영한다. 시쿠라와 교제 중.

시쿠라 모모키
식당에서 알바하는 고등학생. 마도카의 이상형과는 거리가 멀지만?!

이제까지의 이야기

귀여운 연하남을 좋아하는 여고생 마도카. 어느 날 부모님 식당에 연하남 알바생 시쿠라가 들어온다! 꽃미남 외모와는 달리 인성은 꽝?! 하지만 알고 보니 가끔씩 미치게 귀여운 모습을 보이는 고슴도치남이었다~!! 단둘이 꽁냥대는 와중 시쿠라 부모님 등장?! 시쿠라의 부모님은 궁금하지만, 지금은 타이밍이 최악!

#29
서쿠라
패밀리

귀엽다는 말
들은 적 없어!!

…교제를
한다고?

그렇다
니까.

…그래?

네가…
말이지?

빤

저어…?

…뭐랄까.

흐응?

꽤 소박하고
귀여운
아이네.

어?
지금
엄청난
비아냥을

들은 것
같은데….

엄마.

왜?
난 사실을
말한 건데.

아- 하여간

마도카 씨.

엄마 말은 있는 그대로 받아들이지 않아도 되니까

신경 쓰지 마.

편들어줘서 고마워…

착하네
…

미녀가 저런 표정으로 소, 소박… 하다고 하면

오히려 상처도 안 되는 구나….

말랑
말랑

：
：
：
：

아버님 분위기도 대박.

한마디도 안 하시는데
….

그리고
….

지금은 일단
물러났다가
나중에, 다시
분위기 봐서
인사를…!

인상이
너무
최악이야.

이대로는
안 되겠어!

저…
저기

제가 괜히
모모키를
붙잡아둔 것
같아
죄송해요.

그럼
전 이만….

뭐?

?

날 확인하려나 봐…!

그나저나 깜짝 놀랄 정도로 쉽게 허락을 받았다…

시쿠라네 부모님? 집에?

그래, 알았어. 폐 끼치지 않게 조심해~!

여… 여기가

모모키네 본가…

감동스럽 달까…!

오히려 모모키가 여기서 자랐다고 생각하니

어째서…?

아냐, 괜찮아.

괜찮아? 미안해. 엄마가 괜히 억지를 부려서….

있어도 안 보여줄 거야.

왜~!

혹시 앨범 같은 것도 있어…?

내가 너무 들떴나…?

어머님은
역시

내가 맘에
안 드나
봐…

하긴
첫인상이
아들 덮치는
여자였으
니까.

인정받을 수
있게
열심히
노력하자….

아,
제가
짐 들어….

넌
안 와도
돼.

아참,
모모키.
깜빡하고
안 산 게
있는데

잠깐
장 보러
같이 좀
가줄래?

전부 다
마이넛어
보여~

이이…
그럼
…

…왜?

내가
사 온 건
못 먹겠단
거야?

마도카 씨,
케이크
뭐 좋아해?

사
왔는데

못 고르겠다….
잠깐만
있어 봐~!

아뇨.
그럴
리가요!

어…?
그치만.

그럼 내가
초콜릿
할 테니까

반씩
나눠
먹자.

필사적이네.

뭐?
그래도
돼?

쿡
쿡

응.

끄덕

아써~.

마히떠
...

콰당

?!

모모키네 아버님 요리 진짜 맛있더라~.

...어머, 미안.

뭐지...?

자, 여기.

맞아....

어디 보자....

?

앨범...?

빠!
V 땅!

…어?

근데

표정이
점점…
어두워지는 것
같아요….

이때쯤부터
유괴될
뻔하기도
하고

무서운 일을
많이
겪어서

우리한테도
거의
안 웃어주게
됐어.

안방?

당연하게도

그런 일을
겪었다면
걱정될 거야.

그렇겠지….

‥‥‥‥

제대로 갔네.

특수문자가 잘못 변환된 게 아니라?

엥? 이거 본인이 보낸 거 맞아?

본인 맞다!

아저씨들의 가로문자 변환...???

뭐지...?

씨익

그럼 이것도 보내줄게.

화악

이, 이건...!

모모키가
여자면
스토킹이
좀 줄까 해서

여장을
시켜봤

대체
뭘 보여주는
거야....

좋은 건
나눠
봐야지.

나중에
삭제당하기 전에
눈에 새겨두자

엄마!

귀여
워~...

마도카 씨,
얼른 지워!

이런
귀여운
모모키를
지우라니...

나...
난 못 해.

마도카 씨랑
친해지고
싶다고

이러는 건
너무
치사하잖아.

어?

다 끝났어요?

응.

걱정 마. 저 상태면 문제없겠어.

순수해

근데 둘이 재우는 건 좀….

…그러게요.

모모키 웃는 얼굴을

얼마 만에 보는 건지.

…다 저 애 덕이야.

안 돼. 직접 물어봐.

치사하게 먼저 친해지고

나도 마도카 연락처 좀….

저기…

…있지.

내일 동네 안내 좀 해주라.

안내?

여기 딱히 볼 것도 없는데.

으-음

뭐랄까….

아까 어머님이랑 얘기하면서

그래서 모모키가 자란 곳이

궁금해졌어.

아직 모모키에 대해 모르는 게 많다는 걸 깨달았거든.

안 돼…?

…난 괜찮은데

진짜 여기 아무것도 없어.

절대 안 해!

나중에 불평하기 없기다?

귀엽다는 말
들은 적 없어!!

귀엽다는 말
들은 적 없어!!

#30
사쿠라
홈타운

안녕히 주무셨어요?

찰칵

아침부터 목청 한 번 좋네.

꼭 수탉처럼.

아침부터 파이팅 넘치고 귀여운 소리라 기분이 좋구나. 잘 잤니?

귀엽다는 말 들은 적 없어!!

앗, 아버님도 안녕히 주무셨어요?

네, 좋은 아침이에요.

그래요?

고맙습니다!

너무 빨리 순응한 거 아냐...?

그치만 어제 자기 전에 어머님이 톡을 주셨는걸.

뭐?

어느 틈에?

마도카 씨도 알게 될 거라고는 했지만

바로 다음 날 알게 될 줄이야.

어?

?

정말 좋은 분이라서…

모든 말을 다 좋은 쪽으로 해석하기로 했지.

마도카, 다시 한번 고마워. 모모키도 몇 번이나 주의를 줬지만, 난 정말 친해지고 싶었던 것뿐이야‼ 내가 옛날부터 오해를 자주 사는 편이거든. 대체 왜일까?

굿밤

진짜

불쾌해

뭐 그렇긴 하지만….

진짜로 화가 났을 때의 엄마

아마 진짜 화가 나면 화났다고 확실히 말씀해주실 거야!

게다가

님의
엄마한테
심쿵하지 마.

바밍....

귀여우시
니까!!

오늘
모모키가
동네 안내해
준다며?

뭐
어때?

예?
그치만
....

늦어지면
하룻밤 더
자고 가.

응?

아,

네...!

고맙
습니
다!!!

근데 안내는 뭘 어떻게 해야 해?

네가 어릴 때 놀던 곳들?

...즐거워 보이네.

어? 그야 당연하지!

남친을 알 수 있는 기회인걸.

그럼

걷는 동안엔 마도카 씨 어릴 때 얘길 해줘.

뭐?! 글쎄, 뭐가 있을까…?

……

오오! 친구들이랑!

여긴 옛날에 자주 친구들이랑 놀았던 데야.

저기 그네는

그 녀석이 엄청 좋아해서 늘 밀어달라고 했었지.

…

좋은 추억이네.

그야 뭐…

시익……

?!

아니… 노는 건 즐거웠는데.

좋은 추억이 아니었어?!

왜 갑자기 표정이 그래…?

맹견

Z Z Z Z

개한테…?!

여기서 개한테 쫓긴 기억이 생각나서…

불량...

챗!

뭐야?

그렇게 혀를 찰 것까진…

주워주는 구나…

자.

고, 고맙습니다.

참나, 여자가 괜히 말 걸지 말라고.

...왠지 좀

…뭐 언젠가

소개해 주긴 할 거야.

!

팡

그럼 이만 가자.

아, 응!

할머니, 또 올게요!

조심히 가렴~

응.

모모키의 어릴 적 친구라니….

어떤 사람일까?

하…?
여친…??

삐딱.
～

마도카 씨,
애가 사야야.
일단은
내 친구.

그리고
사야,
이쪽은
마도카 씨.

꾸벅

아,
안녕
하세요….

꾸벅

응.

!!
!!

～해.

넌 정말
최악이야.

가자,
마도카 씨.

어?
아...
어?

그냥
가게?

방금은
네가
잘못했어.

벌컥...

……

모…
모모키.

절친이라며.
괜찮겠어?

아까 그건
좀 심했던 것
같아….

아무리
절친이라
지만

눈 앞에서
여친을 나쁘게
말하는데
가만 있을 순
없어.

옳지,
옳지.

아픔아
날아가라~

안아줄까?

정말
안기러
왔네

...응.

바로
그런
면이라고….

두근두근

…말은
그랬지만

이 싸움의
원인이
나라고
생각하면….

뭔가
해야 하지
않을까…?

아니,
그치만
내가 신경
쓰여!

내가…
내가 너~무
도량이 넓은
여자라서!

난 아무것도
안 하는 게
나으려나…?

남자들 싸움은
돌아서면
풀린다…고들
하니까

사실은
사야를 많이
아끼는
거겠지…?

게다가
사야랑
얘기하는
모습이

즐거워
보였는데.

씰컹
컹컹

어떡
한다….

…저건.

쇄컹

덜컹?

무슨
소리지…?

아아…
으으….

끄—응

으악!

하악하악

여기서
뭐 해요?

#31
세쿠라
프렌즈

귀엽다는 말 들은 적 없어!!

뭐지? 저 희한한 댄스는

？

그걸 어떻게 알아 듣냐?

오히려 온게 용히거든?

씨 근

늦었잖아!

어떡하면 모모키랑 화해할지

뭐긴….

생각하려고 그러지.

그보다 무슨 용건이야?

…그야

당연히…
하고 싶지.

음!

애초에
난 별로
싸운 적이
없으니까….

다음에 볼 때
서로 화가
누그러진
경우가 많았고,

전혀
참고가
안 되는군….

이제
어떨까?

생각
안 해왔냐
….

그럼…

하천부지에서
맞장 뜨기...?

서기...
사야...?
라고
불러도
되지?

성을
몰라서.

...맘대로
해.

쾅

상당히
고전적이군
....

ㅎㅎㅎ

사야는
다른 친구랑
화해할 때
어떻게 해?

앙?
음....

오,
알겠다.

그럼
내가 모모 앞에서
너한테
죽도록 맞으면
되는 건가?

좋아,
당장 이걸로
날 때려

할 리가
없잖아?!

그건
또 어디서
난 거야?

당장
집어
넣어!!

뭔가 좀 아닌 것 같은데?

모모키가 좋아하는 과자라도 들고 갈래?

정장 입고.

내가 왜 그래야 하는데?!

으음….

나랑 어깨동무하고 친하단 걸 어필하면 어떨까?

모모키는 날 좋아 하니까

내가 신경 쓰고 있지 않다는 걸 보여주면 용서해주지 않을까…?

그 자신감만큼은 정말 본받고 싶군.

뭐?!

…고마워.

제가 지켜줄게요.

오늘처럼 맞서서 지켜줄게.

친구니깨!

쳇, 우리도 됐거든?

저리 꺼져, 호박들.

여친 있구나~

휘익

호박이란 말은 안 되지!

찹쌉

근데 왜 둘이 같이 있어?

？

？

모모한테 집적대는 인간은 누가 됐든 다 호박이네요.

아…

…그래서

어…

마도카 씨한테 사과는 했어?

으, 응!

모모키가 없을 때… 그치?

…정말

미안해.

그렇게 여자를 싫어하던 모모가 선택한 사람이

나쁜 사람일 리 없다는 걸… 이제야 알겠어.

서운하긴 했지만!

…뭐

아무 말도 안 해줘서

옛날부터 내 일이라면 뭐든 다 받아들여 줬으니까

이번에도 그럴 줄 알았어.

말 안 한 건…

…사야는

……

거리가

너무
가까운데…?

아니,
아까도
그래…

가만….
남자끼리의
거리감이
원래 이런가?

아님
사야의
퍼스널스페이스가
너무 좁은 것뿐?

이번에도
그럴 줄
알았어.

옛날부터
내 일이라면
뭐든 다
받아들여
줬으니까.

늘 나만
질투했는데.

이거
은근
기분이 좋네.

상대가
사야인 건
싫지만.

나 왜
상처 받은
기분이
들지?

뭐…?

웅실!

시쿠라
모모키를
귀여워하는
동맹

묘한 걸로
서로 인정하지
말아 줄래…?

이상
하잖아

귀엽다는 말
들은 적 없어!!

귀엽다는 말
들은 적 없어!!

#32
사쿠라
질투

귀엽다는 말 들은 적 없어!!

…

마지막 저녁거리를 사러 다 같이 나왔는데….

시쿠라 가에 신세 진 지 벌써 3일.

슬슬 돌아가야 할 것 같아서

과자 사자 과자~

저 인간은 왜 있는 거지?

앗, 이거 네가 좋아하는 거지?

살까?

아니, 있어도 전혀 이상할 게 없달까.

오히려 내가 더 부외자 같은 느낌?

아니, 그건 전혀 아무렇지 않지만, 문제는!

어?

사야, 잠깐 좀 와볼래?

다 같이 과자 고르는 거야?! 아직 애네~

네!

그럼 모모키, 우린….

모모, 가자~.

난 왜?

....

완전 껌딱지군….

데… 데려갔다.

자,
아∽앙♡

에이,
그러지
말고∼!

츤데레냐?

귀찮네….

됐어.

징그러.

아…
열받아~
!!!!

!!

어?
어디?

빰에
밤풀
묻었어,
모모♡

…라고
생각하는
얼굴이야!

모모키랑은
다음 주에도
볼 거고!

…근데

하긴??
화해한 지
얼마
안 됐으니까
????

오늘만
양보해주자!

다음에 또 꼭 놀러와요.

해석: 좀 더 있다 가면 좋을 텐데. 서운하다.

우리 집에 오래 있는 게 그렇게 싫어? ...뭐, 집이 조용해지겠네.

그동안 정말 감사했습니다!

네! 또 올게요!

모모키도 또 보자!

아우~ 섭섭해서 어쩐대~?

잘 가~.

응.

으...!

아...

모모키!

미안... 놀랐어?

아냐, 괜찮아.

근데 왜? 나 뭐 놓고 왔어?

괜찮...

바래다줄 거야.

바... 밤

...응? 그래, 그럼. 고마워...

아니. 그냥 바래다 주려고.

어? 그치만 바로 코앞이 역인데...?

결국
또 방해
받는군.

당분간
내가 갖고
있을게.

뭐야.

모모키도
오늘

똑같은
생각을
했구나.

용서 안 할 거야.

…뭐.

방금 한 거 한 번 더 해주면

또 모르지.

귀엽다는 말 들은 적 없어!!

09

에서 계속♥

후기

〈귀엽다는 말 들은 적 없어!!〉
8권을 구입해주셔서 고맙습니다!
시쿠라네 식구들을 내보낼 수 있어서 즐거웠어요.
가족과 사야에 둘러싸여 무럭무럭 잘 자란
막내 기질의 시쿠라였습니다.
다음 권에서도 다시 만날 수 있으면 좋겠네요.

담당기자 T 님, H 님
편집부 여러분
디자이너님
인쇄소 분들
친구, 가족
독자 여러분.

Special Thanks.

귀엽다는 말 들은 적 없어!! 8

2024년 06월 08일 초판 인쇄
2024년 06월 15일 초판 발행

저자 : Nakaba Harufuji
역자 : 서수진
발행인 : 황민호
콘텐츠2사업본부장 : 최재경
책임편집 : 유수림 / 임효진 / 김영주
발행처 : 대원씨아이(주)

서울 특별시 용산구 한강대로15길 9-12
전화 : 2071-2000 · FAX : 6352-0115
1992년 5월 11일 등록 제 3-563호

[Kawaii nante kiite nai]
© Nakaba Harufuji 2024
All rights reserved.
First published in Japan in 2024 by Kodansha Ltd.
Korean translation rights arranged by Kodansha Ltd.

잘못 만들어진 책은 구입하신 곳에서 교환해 드립니다.
문의 : 영업 02) 2071-2072 / 편집 02) 2071-2119

ISBN 979-11-7203-928-8 07830
ISBN 979-11-92290-35-5 (세 트)

4

"너의 향기에 반했어."

체온이 올라가는 초 근접 거리 러브!
조금 심술궂은 선배가 내 '향기'에 빠져버렸다―?!

같은 고등학교에 다니는 한 학년 위의 선배 코즈키 료를 동경하는 토우카.
어느 날 우연히 선배가 냄새를 맡고는 "너의 향기에 반했어."라는 말을 하고,
틈만 나면 향기를 확인하게 된다…!
가까워지는 거리에 가슴이 두근거리는 토우카는 조향사를 목표로 하는 선배의 꿈을 응원하고 싶은데―

이치 코토코 | 대원씨아이 | 값 5,000원
© Kotoko Ichi / Kodansha Ltd.

거짓에서 시작되는 가·족·계·획

평온한 차 농원에서 펼쳐지는 위장부부 러브 코미디♥

이 사랑은 연극?!

This love is a farce?!

Umebachi Yamanaka

7권 대발매!!

스토커로 변한 전 약혼자들 피해 빈손으로 고향에 돌아온 28살, 치코.
그러나 오랜만에 찾은 본가는 낯선 남자와 수수께끼의 소녀가 점령 중—?!

© Umebachi Yamanaka / Kodansha Ltd.
야마나카 우메바치 / 값 5,000원 / 대원씨아이